まえがき

『日毎の糧 ― 主日聖書日課・家庭礼拝暦』2021年版をお届けします。2020年は、皆さまにとってどのような一年でしたでしょうか。

世界全体が新型コロナウイルス感染症により、誰もが経験したことのない厳しい生活を余儀なくされています。2021年は、どのような世界となっていくのでしょうか。

コロナウイルス感染対策として、教会の礼拝に集うことを控えた会員も多いのではないでしょうか。小生の牧会する教会では、教会に集うことを控えていただき、動画配信でもって礼拝に出席することをお願いしました。会員の中には動画配信をご覧頂けない方もいますが、事前に礼拝の予定をお知らせ致しました。『日毎の糧 ― 主日聖書日課・家庭礼拝暦』を送ってご利用頂いている方々もいます。

教会に集えない状況の中では、「家庭礼拝」がとても大切であります。単に一家庭の礼拝に留まるものではなく、主日の公同礼拝が各家庭で為されているのです。各家庭での礼拝は、教会の礼拝として位置付けておこなっています。そして、家庭礼拝でささげられた献金が、感謝のしるしとして教会に送られています。

コロナ禍の試練は、教会がどれほど大切であるかを分かち合うときとなっています。毎主日の礼拝のかけがえのなさを家庭で経験しているのです。小さな冊子ですが、『日毎の糧』は命の御言葉であります。御言葉の豊かな恵みを日毎の糧を通して頂く一年でありますよう。

今年の「聖書日課編集委員会」の担当は、越川弘英（聖書日課の用い方、週日日課小見出し後半）、八木浩史（週日日課小見出し前半）、吉岡光人（讃美歌選曲）、古旗誠（まえがき）です。氏名を明記し、それぞれの担当をお伝えします。

（古旗誠）

日本基督教団
信仰告白

我らは信じかつ告白す。

旧新約聖書は、神の霊感によりて成り、キリストを証し、福音の真理を示し、教会の拠るべき唯一の正典なり。されば聖書は聖霊によりて、神につき、救ひにつきて、全き知識を我らに与ふる神の言にして、信仰と生活との誤りなき規範なり。

主イエス・キリストによりて啓示せられ、聖書において証せらるる唯一の神は、父・子・聖霊なる、三位一体の神にていましたまふ。御子は我ら罪人の救ひのために人と成り、十字架にかかり、ひとたび己を全き犠牲として神にささげ、我らの贖ひとなりたまへり。

神は恵みをもて我らを選び、ただキリストを信ずる信仰により、我らの罪を赦して義としたまふ。この変らざる恵みのうちに、聖霊は我らを潔めて義の果を結ばしめ、その御業を成就したまふ。

教会は主キリストの体にして、恵みにより召されたる者の集ひなり。教会は公の礼拝を守り、福音を正しく宣べ伝へ、バプテスマと主の晩餐との聖礼典を執り行ひ、愛のわざに励みつつ、主の再び来りたまふを待ち望む。

我らはかく信じ、代々の聖徒と共に、使徒信条を告白す。

我は天地の造り主、全能の父なる神を信ず。我はその独り子、我らの主、イエス・キリストを信ず。主は聖霊によりてやどり、処女マリヤより生れ、ポンテオ・ピラトのもとに苦しみを受け、十字架につけられ、死にて葬られ、陰府にくだり、三日目に死人のうちよりよみがへり、天に昇り、全能の父なる神の右に坐したまへり、かしこより来りて、生ける者と死ねる者とを審きたまはん。我は聖霊を信ず、聖なる公同の教会、聖徒の交はり、罪の赦し、身体のよみがへり、永遠の生命を信ず。　　　　　アーメン。

天にまします我らの父よ、
ねがわくはみ名をあがめさせたまえ。
み国を来らせたまえ。
みこころの天になるごとく　地にもなさせたまえ。
我らの日用の糧を、今日も与えたまえ。
我らに罪をおかす者を　我らがゆるすごとく、
我らの罪をもゆるしたまえ。
我らをこころみにあわせず、悪より救い出したまえ。
国とちからと栄えとは　限りなくなんじのものなればなり。
アーメン

日本基督教団　生活綱領

　われわれは、神の恵みにより父と子と聖霊との名においてバプテスマをうけ主の体(からだ)なる教会に入れられた者であるから、すべての不義と迷信とをしりぞけ、互に主にある兄弟姉妹の交わりを厚うし、常に神の栄光のあらわれるように祈り、つぎのことを相共につとめる。

1 教会の秩序を守り、その教えと訓練とに従い、聖日礼拝・祈祷(きとう)会その他の集会を重んじ、聖餐(せいさん)にあずかり、伝道に励み、時と財(たから)と力とをささげて教会の維持発展につくすこと。

2 日日聖書に親しみ、常に祈り、敬虔(けいけん)・純潔・節制・勤労の生涯を全うすること。

3 家庭の礼拝を重んじ、家族の和合を尊び、子女を信仰に導き、一家そろって神につかえること。

4 互に人格を重んじ、隣人を愛し、社会の福祉のために労し、キリストの正義と愛とがあまねく世に行われるようにすること。

5 神の御旨(みむね)に従って、国家の道義を高め、国際正義の実現をはかり、世界平和の達成を期すること。

　願わくは神、われわれを憐(あわれ)み、この志を遂げさせたまわんことを。
アーメン。

（1954 年 10 月 28 日第 8 回日本基督教団総会において制定）

公現日（栄光祭）	1 月 6 日（水）
灰の水曜日	2 月 17 日（水）
四旬節（受難節・レント）	2 月 17 日（水）〜4 月 3 日（土）
棕梠の主日	3 月 28 日（日）
受難週	3 月 28 日（日）〜4 月 3 日（土）
洗足木曜日	4 月 1 日（木）
受難日	4 月 2 日（金）
復活日（イースター）	4 月 4 日（日）
昇天日	5 月 13 日（木）
聖霊降臨日（ペンテコステ）	5 月 23 日（日）
三位一体主日	5 月 30 日（日）
待降節（降臨節・アドベント）	11 月 28 日（日）〜12 月 24 日（金）
降誕日（クリスマス）	12 月 25 日（土）
	（日本基督教団口語式文による）

元旦礼拝	1 月 1 日（金）
信教の自由を守る日	2 月 11 日（木）
世界祈祷日	3 月 5 日（金）
労働聖日（働く人の日）	4 月 25 日（日）
母の日	5 月 9 日（日）
アジア・エキュメニカル週間	5 月 16 日（日）〜5 月 22 日（土）
子どもの日（花の日）	6 月 13 日（日）
日本基督教団創立記念日	6 月 24 日（木）
平和聖日	8 月 1 日（日）
世界聖餐日、世界宣教の日	10 月 3 日（日）
神学校日	10 月 10 日（日）
伝道献身者奨励日	10 月 10 日（日）
信徒伝道週間	10 月 17 日（日）〜10 月 23 日（土）
教育週間	10 月 17 日（日）〜10 月 24 日（日）
宗教改革記念日	10 月 31 日（日）
聖徒の日（永眠者記念日）	11 月 7 日（日）
障害者週間	11 月 14 日（日）〜11 月 20 日（土）
収穫感謝日	11 月 21 日（日）
謝恩日	11 月 21 日（日）
社会事業奨励日	12 月 5 日（日）

特定行事の聖書日課

元　旦　礼　拝	イザヤ 61:1-11	ガラテヤ 4:8-12	マタイ 9:14-17	詩編 65:10-14
公　　現　　日	イザヤ 49:13-23	ローマ 15:13-21	マタイ 2:1-12	97:1-12
信教の自由を守る日	申命記 13:2-6	2テモテ 2:14-26	マタイ 21:18-22	119:129-136
灰　の　水　曜　日	ヨエル 2:12-18	2テモテ 2:1-7	マタイ 6:16-21	102:2-15
洗　足　木　曜　日	出エジプト 24:3-8	1コリント 10:16-17	マタイ 26:26-35	111:1-10
受　　難　　日	哀歌 2:15-19	ヘブライ 10:11-25	マタイ 27:15-31	22:2-24
労　働　聖　日 （働く人の日）	エゼキエル 34:20-31	1コリント 9:4-12a	マタイ 7:15-20	125:1-5
母　　の　　日	レビ 19:1-8	ガラテヤ 4:28-31	マタイ 12:46-50	139:13-24
昇　　天　　日	ダニエル 7:13-14	使徒 1:1-11	マタイ 28:16-20	47:2-10
子　ど　も　の　日 （花　の　日）	申命記 11:13-21	エフェソ 5:1-5	マルコ 5:35-43	103:14-22
教団創立記念日	イザヤ 48:6c-11	エフェソ 2:14-22	ルカ 1:13-17	3:2-9
平　和　聖　日	ミカ 5:1-5	フィリピ 4:2-9	マタイ 5:1-12	35:22-28
世　界　聖　餐　日	出エジプト 12:43-50	1コリント 11:23-26	マタイ 26:26-30	25:15-22
神　学　校　日 伝道献身者奨励日	サムエル上 1:21-28	ローマ 3:9-20	マタイ 10:5-15	85:2-14
信徒伝道週間	サムエル上 17:41-48	ガラテヤ 5:13-15	ルカ 10:1-12	78:1-8
教　育　週　間	申命記 5:28-33	ローマ 3:9-20	マタイ 10:5-15	25:1-14
宗教改革記念日	ネヘミヤ 13:1-13	1ペトロ 3:13-22	マタイ 12:1-8	89:20-38
聖　徒　の　日 （永眠者記念日）	サムエル上 2:4-11	2ペトロ 1:3-11	ヨハネ 14:1-6	13:2-6
収　穫　感　謝　日 謝　　恩　　日	レビ 25:15-22	フィリピ 4:10-20	マルコ 4:1-9,13-20	104:13-18
社会事業奨励日	士師記 2:16-23	2テサロニケ 2:13-17	マタイ 12:33-37	92:2-16

January

	日	曜日	週日聖書日課	内　容	詩編	週日副日課
元 旦 礼 拝	1	金	イザヤ 62:1 ～ 5	あなたを喜びとされる	115	エフェソ 3:1 ～ 13
	2	土	62:6 ～ 12	救いが進んで来る	146	3:14 ～ 21
(降誕節第2主日)	3	日	㉑ 279	〈エジプト逃避〉 エレミヤ 31:15 ～ 17		2 コリント 1:3 ～ 11
			① 296	マタイ 2:13 ～ 23		詩編 70:2 ～ 6
	4	月	イザヤ 63:1 ～ 6	報復の日、贖いの年	85	エフェソ 4:1 ～ 16
	5	火	63:7 ～ 14	主の慈しみと栄誉の想起	86	4:17 ～ 32
公現日 (栄光祭)	6	水	63:15 ～ 64:4	神への切なる訴え	87	5:1 ～ 14
	7	木	64:5 ～ 11	わたしたちの悪のゆえに	88	5:15 ～ 33
	8	金	65:1 ～ 16	背きの民への報復	89:1 ～ 36	6:1 ～ 9
	9	土	66:1 ～ 2	わたしが顧みるのは	89:37 ～ 53	6:10 ～ 24
(降誕節第3主日) (公現後第1主日)	10	日	㉑ 277	〈イエスの洗礼〉 サムエル上 16:1 ～ 13a		ローマ 6:12 ～ 23
			① 124	マタイ 3:13 ～ 17		詩編 2:1 ～ 12
	11	月	アモス　1:1 ～ 5	シオンからほえたけり	90	1 テモテ 1:1 ～ 17
	12	火	2:1 ～ 5	わたしは決して赦さない	91	1:18 ～ 2:7
	13	水	2:6 ～ 16	聖なる名を汚している	92	3:1b ～ 16
	14	木	3:1 ～ 8	預言せずにいられようか	93	4:1 ～ 16

㉑ ＝『讃美歌 21』　　① ＝『讃美歌』　　② ＝『讃美歌第二編』

15	金	アモス 4:4 ～ 13	お前たちは帰らなかった	94	1 テモテ 5:1 ～ 16
16	土	5:1 ～ 15	わたしを求めよ、生きよ	95	5:17 ～ 25

(降誕節第4主日) (公現後第2主日)	17	日	〈最初の弟子たち〉			
			㉑ 516	エゼキエル 2:1 ～ 3:4		黙示録 10:8 ～ 11
			㉍ 119	**マタイ 4:18 ～ 25**		詩編 40:6 ～ 12

18	月	アモス5:16 ～ 24	主の日は闇、光ではない	96	1 テモテ 6:1 ～ 10
19	火	6:1 ～ 8	安逸をむさぼる者らは	97	6:11 ～ 21
20	水	7:1 ～ 9	荒らされ、廃墟になる	98	2 テモテ 1:1 ～ 14
21	木	7:10 ～ 17	土地から連れ去られる	99	1:15 ～ 2:13
22	金	8:1 ～ 12	もはや見過ごせない	100	2:14 ～ 26
23	土	9:7 ～ 15	その日、廃墟を建て直す	101	3:1 ～ 17

(降誕節第5主日) (公現後第3主日)	24	日	〈宣教の開始〉			
			㉑ 275	イザヤ 8:23b ～ 9:3		ローマ 1:8 ～ 17
			① 228	**マタイ 4:12 ～ 17**		詩編 44:2 ～ 9

25	月	ホセア 1:1 ～ 2:3	淫行の女をめとれ	102	2 テモテ 4:1 ～ 18
26	火	2:4 ～ 17	わたしを忘れ去った女	103	テトス 1:1 ～ 16
27	水	2:20 ～ 3:5	とこしえの契りを結ぶ	104	2:1 ～ 15
28	木	6:1 ～ 6	いけにえではなく愛を	105:1 ～ 24	3:1 ～ 15
29	金	11:1 ～ 9	見捨てることはできない	105:25~ 45	1 ヨハネ 1:1 ～ 2:6
30	土	14:2 ～ 10	背く彼らをいやす	106:1 ～ 23	2:7 ～ 17

(降誕節第6主日) (公現後第4主日)	31	日	〈教えるキリスト〉		
			㉑ 153	イザヤ 30:18 ～ 21	1 テモテ 4:(4 ～ 7a)7b ～ 16
			① 284	**マタイ 5:(1 ～ 12)17 ～ 20**	詩編 119:9 ～ 16

③ = 『ともにうたおう』　　㉍ = 『こどもさんびか　改訂版』

7

February

	日	曜日	週日聖書日課	内　　容	詩　編	週日副日課
	1	月	サムエル上 1:1～20	彼女を御心に留められ	106:24～48	マタイ 14:1～12
	2	火	1:21～2:11	サムエルを主にささげる	107:1～22	14:13～21
	3	水	3:1～19	主の呼びかけ	107:23～43	14:22～36
	4	木	4:1b～18	神の箱が奪われる	108	15:1～20
	5	金	5:1～12	神の御手がのしかかって	109	15:21～28
	6	土	6:1～16	神の箱が送り返される	110	15:29～39
(降誕節第7主日) (公現後第5主日)	7	日	㉑ 564 ① 271	〈いやすキリスト〉 列王下 5:1～14(15～19a)　2 コリント 12:1～10 **マタイ 15:21～31**　　　　詩編 103:1～13		
	8	月	サムエル上 9:1～14	美しい若者サウル	111	マタイ 16:1～12
	9	火	9:15～10:1a	サウル、油を注がれる	112	16:13～20
	10	水	14:1～15	ヨナタンの勇姿	113	16:21～28
信教の自由を守る日	11	木	14:24～46	死を免れたヨナタン	114	17:1～13
	12	金	15:1～11	主に背くサウル	115	17:14～27
	13	土	15:12～23	咎められるサウル	116	18:1～20
(降誕節第8主日) (公現後第6主日)	14	日	㉑ 456 ① 298	〈奇跡を行うキリスト〉 イザヤ 30:8～17　　　　使徒 12:1～17 **マタイ 14:22～36**　　　詩編 107:10～22		

㉑ ＝『讃美歌 21』　　　① ＝『讃美歌』　　　② ＝『讃美歌第二編』

	15	月	サムエル上 16:1 ～ 13	ダビデ、油を注がれる	117	マタイ 18:21 ～ 35
	16	火	16:14 ～ 23	サウルに仕えるダビデ	118	19:1 ～ 15
灰の水曜日	17	水	ヨエル 2:12 ～ 17	主に立ち帰れ	102	マルコ 2:13 ～ 22
	18	木	サムエル上 17:1 ～ 25	ペリシテの戦士ゴリアト	119:1 ～ 24	マタイ 19:16 ～ 30
	19	金	17:26 ～ 50	ゴリアトを倒したダビデ	119:25 ～ 40	20:1 ～ 16
	20	土	18:1 ～ 16	ダビデへのサウルの敵意	119:41 ～ 56	20:17 ～ 28
(復活前第6主日) (受難節第1主日) (四旬節第1主日)	21	日	㉑ 284 ① 387	〈荒れ野の誘惑〉 申命記 30:15 ～ 20 **マタイ 4:1 ～ 11**		ヤコブ 1:12 ～ 18 詩編 91:1 ～ 16
	22	月	サムエル上 19:1 ～ 18	サウルからの逃亡	119:57 ～ 72	マタイ 20:29 ～ 34
	23	火	20:1 ～ 24a	ヨナタンのダビデへの愛	119:73 ～ 88	21:1 ～ 11
	24	水	20:24b ～ 42	ヨナタン、ダビデを守る	119:89 ～ 104	21:12 ～ 17
	25	木	24:1 ～ 23	サウルを襲うことなく	119:105 ～ 128	21:18 ～ 32
	26	金	31:1 ～ 13	サウルと息子たちの死	119:129 ～ 152	21:33 ～ 46
	27	土	サムエル下 1:1 ～ 27	ダビデの哀悼の歌	119:153 ～ 176	22:1 ～ 14
(復活前第5主日) (受難節第2主日) (四旬節第2主日)	28	日	㉑ 128 ① 397	〈悪と戦うキリスト〉 イザヤ 35:1 ～ 10 **マタイ 12:22 ～ 32**		1 ヨハネ 3:1 ～ 10 詩編 130:1 ～ 8

③ ＝『ともにうたおう』　　Ⓒ ＝『こどもさんびか　改訂版』

9

March

	日	曜日	週日聖書日課	内　　容	詩　編	週日副日課
	1	月	サムエル下2:1〜11	ダビデ、ユダの王となる	120	ヘブライ 1:1〜14
	2	火	5:1〜10,17〜25	ダビデ王とペリシテ人	121	2:1〜9
	3	水	6:1〜19	神の箱、エルサレムへ	122	2:10〜18
	4	木	7:1〜13	ナタンの預言	123	3:1〜6
世界祈祷日	5	金	7:18〜29	ダビデの祈り	124	3:7〜19
	6	土	9:1〜13	ダビデとメフィボシェト	125	4:1〜11
(復活前第4主日) (受難節第3主日) (四旬節第3主日)	7	日	21 390 1 267	〈受難の予告〉 ヨブ 1:1〜12 **マタイ 16:13〜28**		1 ペトロ 4:12〜19 詩編 86:5〜10
	8	月	サムエル下11:1〜17	バト・シェバとの一件	126	ヘブライ 4:12〜16
	9	火	11:18〜27	罪を重ねたダビデ	127	5:1〜10
	10	水	12:1〜15a	ナタンによる叱責	128	5:11〜6:8
	11	木	12:15b〜25	ソロモンの誕生	129	6:9〜20
	12	金	15:1〜16	アブサロムの陰謀	130	7:1〜10
	13	土	15:17〜37	ダビデに従う人々	131	7:11〜28
(復活前第3主日) (受難節第4主日) (四旬節第4主日)	14	日	21 285 1 132	〈主の変容〉 出エジプト 24:3〜11 **マタイ 17:1〜13**		2 ペトロ 1:16〜19 詩編 145:1〜13

21 =『讃美歌 21』　　1 =『讃美歌』　　2 =『讃美歌第二編』

15	月	サムエル下16:1〜14	ダビデを裏切る人々	132	ヘブライ 8:1〜13
16	火	17:1〜14	フシャイの提案	133	9:1〜14
17	水	17:15〜23	アヒトフェルの死	134	9:15〜28
18	木	18:1〜18	戦闘、アブサロムの死	135	10:1〜18
19	金	18:19〜19:1	ダビデへの戦勝報告	136	10:19〜39
20	土	19:2〜15	エルサレムへの帰還	137	11:1〜12
（復活前第2主日）（受難節第5主日）（四旬節第5主日）	21 日	〈十字架の勝利〉			
		㉑ 469	創世記 25:29〜34		ローマ 8:1〜11
		① 285	**マタイ 20:20〜28**		詩編 118:1〜9
22	月	サムエル下19:16〜31	出迎えた二人	138	ヘブライ 11:13〜22
23	火	19:32〜44	見送りに来た老人	139	11:23〜31
24	水	23:1〜7	ダビデの最後の言葉	140	11:32〜40
25	木	23:8〜23	ダビデの勇士たち	141	12:1〜13
26	金	24:1〜14	人口調査による罪	142	12:14〜29
27	土	24:15〜25	疫病による裁き	143	13:1〜21
（復活前第1主日）（受難節第6主日）（四旬節第6主日）棕梠の主日（受難週4月3日まで）	28 日	〈十字架への道〉			
		（入堂行列）	ゼカリヤ 9:9〜10		マタイ 21:1〜11
		㉑ 313	哀歌 5:15〜22		1 コリント 1:18〜25
		① 262	**マタイ 27:32〜56**		詩編 118:19〜29
29	月	イザヤ 5:1〜7	ぶどう畑の歌	27	ヨハネ 14:1〜14
30	火	エレミヤ 11:18〜20	エレミヤの訴え	31	14:15〜31
31	水	イザヤ 63:1〜10	主の報復の日	43	15:1〜17

① ＝『ともにうたおう』　　Ⓒ ＝『こどもさんびか　改訂版』

April

	日	曜日	週日聖書日課	内　容	詩　編	週日副日課
洗足木曜日	1	木	出エジプト 13:3 ～ 10	除酵祭	69:1･21,29･30	ヨハネ 15:18 ～ 27
受　難　日	2	金	創世記 22:1 ～ 18	独り子イサクの奉献	22	マルコ 15:21 ～ 41
	3	土	ヨブ 19:21 ～ 27	わたしは神を仰ぎ見る	30	15:42 ～ 47
（復活節第1主日）復　活　日（イースター）	4	日	㉑ 321　① 147	〈キリストの復活〉（前夜または早朝）エゼキエル 36:16 ～ 28　マタイ 28:1 ～ 10		ローマ 6:3 ～ 11　詩編 66:1 ～ 9
			㉑ 333　① 154	〈キリストの復活〉（日中）イザヤ 12:1 ～ 6　ヨハネ 20:1 ～ 18		黙示録 1:12 ～ 18　詩編 30:2 ～ 6
	5	月	出エジプト 15:1 ～ 11	主に向かって歌おう	144	マルコ 16:9 ～ 18
	6	火	15:12 ～ 21	右の手を伸べられると	145	ルカ 24:1 ～ 12
	7	水	イザヤ 25:1 ～ 10a	神の驚くべき御業	146	24:13 ～ 35
	8	木	エレミヤ 31:1 ～ 14	悲しみに代えて喜びを	147	24:36 ～ 49
	9	金	ヨブ　14:1 ～ 14	木は切られても	148	マタイ 28:1 ～ 10
	10	土	ミカ　7:8 ～ 20	主こそわが光	149	28:11 ～ 20
（復活節第2主日）11	11	日	㉑ 332　① 149	〈復活顕現〉イザヤ 65:17 ～ 25　マタイ 28:11 ～ 15		使徒 13:26 ～ 31　詩編 16:5 ～ 1
	12	月	列王上　1:5 ～ 31	ソロモンを後継者に指名	150	マルコ　1:1 ～ 13

㉑ ＝『讃美歌 21』　　① ＝『讃美歌』　　② ＝『讃美歌第二編』

13	火	列王上1:38～53	反乱の終結	1	マルコ1:14～20
14	水	2:1～12	ダビデ王の最期	2	1:21～28
15	木	3:3～15	ソロモンの夢枕に立つ主	3	1:29～39
16	金	5:15～26	神殿建築の準備	4	1:40～45
17	土	6:1～14	神殿建築の完了	5	2:1～12
(復活節第3主日) 18	日	㉑ 438 ① 385	〈新しい命〉 列王上 17:(8～16)17～24 **マタイ 12:38～42**		コロサイ 3:1～11 詩編 116:1～14
19	月	列王上 8:1～21	契約の箱を運び入れる	6	マルコ 2:13～17
20	火	11:1～13	ソロモンの迷いと罪	7	2:18～22
21	水	11:26～40	王国の分裂が予告される	8	2:23～28
22	木	12:1～15	民の願いを退けた王	9	3:1～6
23	金	12:25～33	ヤロブアムの背信	10	3:7～19
24	土	13:1～10	神の人が来て	11	3:20～30
(復活節第4主日) 労 働 聖 日 (働く人の日) 25	日	㉑ 453 ① 171	〈イエスは復活また命〉 ネヘミヤ 2:1～18 **ヨハネ 11:17～27**		1 コリント 12:3～13 詩編 136:1～9
26	月	列王上20:1～21	アラムとの戦いに勝つ	12	マルコ3:31～35
27	火	20:22～43	アハブ王を断罪する	13	4:1～20
28	水	21:1～16	ナボトのぶどう畑	14	4:21～34
29	木	21:17～29	悪に身を委ねたアハブ	15	4:35～41
30	金	22:1～28	災いを告げるミカヤ	16	5:1～20

③ =『ともにうたおう』　　　ⓒ =『こどもさんびか　改訂版』

May

	日	曜日	週日聖書日課	内　　容	詩編	週日副日課
	1	土	列王上22:29～40	アハブの最期	17	マルコ 5:21～34
(復活節第5主日)	2	日	〈父への道〉			
			㉑ 498	サムエル下 1:17～27		1 ヨハネ 2:1～11
			① 495	**ヨハネ 14:1～11**		詩編98:1～9
	3	月	列王下 2:1～15	エリヤ、天に上げられる	18:1～31	マルコ 5:35～43
	4	火	3:4～24	モアブが反旗を翻す	18:32～51	6:1～6a
	5	水	4:1～17	エリシャの奇跡	19	6:6b～13
	6	木	5:1～19a	ナアマンのいやし	20	6:14～29
	7	金	5:19b～27	従者ゲハジの罪	21	6:30～44
	8	土	6:8～23	アラム軍が町を包囲する	22	6:45～56
(復活節第6主日) 母 の 日	9	日	〈イエスの祈り〉			
			㉑ 501	列王上 18:20～39		ヘブライ 7:11～25(26～28)
			① 228	**マタイ 6:1～15**		詩編95:1～11
	10	月	列王下6:24～7:2	大飢饉と包囲の中で	23	マルコ 7:1～13
	11	火	7:3～20	アラムの王に関する預言	24	7:14～23
	12	水	9:1～13	イエフ、イスラエルの王に	25	7:24～30
昇 天 日	13	木	エゼキエル1:4～5,26～28	主の栄光の姿	97	16:14～20
	14	金	列王下9:14～37	謀反を起こしたイエフ	26	7:31～37

㉑ ＝『讃美歌21』　　① ＝『讃美歌』　　② ＝『讃美歌第二編』

	15	土	列王下10:18〜28	イエフの策略	27	マルコ 8:1〜10
(復活節第7主日) アジア・エキュメニカル 週間（22日まで）	16	日	㉑ 337 ① 157	〈キリストの昇天〉 エレミヤ 10:1〜10a **ルカ 24:44〜53**		エフェソ 4:1〜16 詩編 93:1〜5
	17	月	列王下17:1〜14	サマリア、占領される	28	マルコ8:11〜21
	18	火	18:1〜12	ユダの王ヒゼキヤの改革	29	8:22〜26
	19	水	18:13〜25	アッシリア、ユダに侵攻	30	8:27〜30
	20	木	19:1〜19	ヒゼキヤの祈り	31	8:31〜9:1
	21	金	19:20〜37	主がアッシリアを討つ	32	9:2〜13
	22	土	20:1〜20	ヒゼキヤの病気とその後	33	9:14〜29
(聖霊降臨節 第 1 主日) 聖霊降臨日 （ペンテコステ）	23	日	㉑ 339 ① 183	〈聖霊の賜物〉 ヨエル 2:23〜3:2 マタイ 12:14〜21		**使徒 2:1〜11** 詩編 51:12〜19
	24	月	民数記27:12〜23	ヨシュアの任命	34	ローマ 9:1〜13
	25	火	サムエル下23:1〜5	ダビデの最後の言葉	35	9:14〜29
	26	水	エゼキエル36:22〜28	新しい霊を置く	36	9:30〜10:10
	27	木	ゼカリヤ4:1〜10	武力によらず霊によって	37:1〜22	10:11〜21
	28	金	イザヤ 44:1〜8	あなたの子孫に霊を注ぎ	37:23〜40	11:1〜24
	29	土	エゼキエル37:1〜14	枯れた骨の復活	38	11:25〜36
(聖霊降臨節 第 2 主日) 三位一体主日	30	日	㉑ 50 ① 282	〈神の富〉 イザヤ 6:1〜8 マタイ 11:25〜30		**エフェソ 1:3〜14** 詩編 99:1〜9
	31	月	列王下22:3〜20	律法の書の発見	39	ローマ 12:1〜8

③ ＝『ともにうたおう』　　　Ｃ ＝『こどもさんびか　改訂版』

June

	日	曜日	週日聖書日課	内　容	詩　編	週日副日課
	1	火	列王下23:1 〜 10	ヨシヤ王の改革	40	ローマ12:9 〜 21
	2	水	23:21 〜 30	ヨシヤ王の死	41	13:1 〜 14
	3	木	24:8 〜 17	バビロン捕囚の開始	42	14:1 〜 12
	4	金	24:18 〜 25:12	エルサレムの陥落	43	14:13 〜 23
	5	土	25:22 〜 30	最後の反逆	44	15:1 〜 13
(聖霊降臨節 第3主日)	6	日	㉑ 127　　　　　　　　〈悔い改めの使信〉	エゼキエル18:25 〜 32		使徒 17:22 〜 34
			① 220	マタイ3:1 〜 6		詩編25:1 〜 11
	7	月	エゼキエル1:1 〜 14	四つの生き物	45	ローマ15:14 〜 21
	8	火	1:15 〜 2:2	生き物の頭上の栄光	46	15:22 〜 33
	9	水	2:3 〜 3:11	エゼキエルの召命	47	使徒　1:1 〜 14
	10	木	3:12 〜 27	エゼキエルの務め	48	1:15 〜 26
	11	金	5:5 〜 13	エルサレムの裁き	49	2:1 〜 13
	12	土	8:1 〜 13	偶像崇拝の実態	50	2:14 〜 36
(聖霊降臨節 第4主日) 子どもの日(花の日)	13	日	㉑ 393　　　　　　　　〈世の光としての使命〉	イザヤ60:19 〜 22		フィリピ 2:12 〜 18
			① 450	マタイ5:13 〜 16		詩編67:2 〜 6
	14	月	エゼキエル9:1 〜 11	不正に満ちた都	51	使徒　2:37 〜 47

㉑ ＝『讃美歌21』　　　① ＝『讃美歌』　　　② ＝『讃美歌第二編』

	15	火	エゼキエル 10:1 〜 19	主の栄光の行方	52	使徒　3:1 〜 10
	16	水	11:14 〜 25	彼らに新しい心を与える	53	3:11 〜 4:4
	17	木	14:12 〜 23	災いと裁きの予告	54	4:5 〜 22
	18	金	18:1 〜 32	自分の罪のゆえに死ぬ	55	4:23 〜 31
	19	土	24:15 〜 27	エゼキエルの妻の死	56	4:32 〜 5:11
(聖霊降臨節 第 5 主日)	20	日	㉑ 416 ① 391	〈生涯のささげもの〉 申命記 26:1 〜 11 マタイ 5:21 〜 37		**2 コリント 8:1 〜 15** 詩編 14:1 〜 7
	21	月	エゼキエル 26:1 〜 14	ティルスへの裁きの預言	57	使徒　5:12 〜 26
	22	火	28:1 〜 10	ティルス君主の高慢	58	5:27 〜 42
	23	水	32:17 〜 32	エジプトは横たわる	59	6:1 〜 15
日本基督教団創立記念日	24	木	33:1 〜 9	警告の角笛	60	7:1 〜 16
	25	金	33:10 〜 20	立ち帰れ、イスラエルよ	61	7:17 〜 36
	26	土	33:21 〜 33	廃墟の預言者	62	7:37 〜 53
(聖霊降臨節 第 6 主日)	27	日	㉑ 419 ① 390	〈主にある共同体〉 イザヤ 49:14 〜 21 マタイ 6:22 〜 34		**使徒 4:32 〜 37** 詩編 133:1 〜 3
	28	月	エゼキエル 34:1 〜 10	災いだ、自らを養う牧者	63	使徒　7:54 〜 8:3
	29	火	34:11 〜 16	主が自ら牧者となって	64	8:4 〜 25
	30	水	34:17 〜 31	羊の群れとの平和の契約	65	8:26 〜 40

③ = 『ともにうたおう』　　　Ⓒ = 『こどもさんびか　改訂版』

July

	日	曜日	週日聖書日課	内　　容	詩編	週日副日課
	1	木	エゼキエル 36:1 ～ 15	イスラエルの山々よ	66	使徒　9:1 ～ 19a
	2	金	36:16 ～ 32	石の心ではなく肉の心を	67	9:19b ～ 31
	3	土	36:33 ～ 38	廃墟の復興の約束	68	9:32 ～ 43
（聖霊降臨節第 7 主日）	4	日	21 499　1 403	〈祈　り〉 歴代下 6:12 ～ 21　マタイ 7:1 ～ 14		1 テモテ 2:1 ～ 8 詩編 143:1 ～ 6
	5	月	エゼキエル 37:15 ～ 28	一人の牧者、一つの民	69	使徒　10:1 ～ 16
	6	火	38:10 ～ 23	襲来するゴグの裁き	70	10:17 ～ 33
	7	水	39:22 ～ 29	神の熱い憐れみ	71	10:34 ～ 48
	8	木	43:1 ～ 9	神の栄光の到来	72	11:1 ～ 18
	9	金	44:4 ～ 9	神殿の聖別	73	11:19 ～ 30
	10	土	47:1 ～ 12	聖所から流れる命の川	74	12:1 ～ 19
（聖霊降臨節第 8 主日）	11	日	21 451　1 246	〈生活の刷新〉 エレミヤ 7:1 ～ 7　マタイ 7:15 ～ 29		使徒 19:13 ～ 20 詩編 119:105 ～ 112
	12	月	ダニエル 1:1 ～ 21	バビロンの王とダニエル	75	使徒 12:20 ～ 25
	13	火	2:1 ～ 12	王の見た夢	76	13:1 ～ 12
	14	水	2:13 ～ 24	王の命令とダニエル	77	13:13 ～ 43

21 ＝『讃美歌 21』　　　1 ＝『讃美歌』　　　2 ＝『讃美歌第二編』

	15	木	ダニエル2:25～46	ダニエルの夢の説明	78:1～40	使徒13:44～14:7
	16	金	3:1～18	金の偶像とユダヤ人	78:41～72	14:8～28
	17	土	3:19～30	燃え盛る炉と神	79	15:1～21
(聖霊降臨節)第9主日	18	日	㉑ 229 ① 226	〈異邦人の救い〉 創世記 21:(1～8)9～21 マタイ 8:5～13		ローマ 9:19～28 詩編 102:16～23
	19	月	ダニエル3:31～4:15	大きな木の夢	80	使徒15:22～35
	20	火	4:16～34	夢の解釈と王の経験	81	15:36～16:5
	21	水	5:1～12	壁に字を書く指の幻	82	16:6～24
	22	木	5:13～30	壁の文字の説明と王の死	83	16:25～40
	23	金	6:1～15	ダニエルを陥れる陰謀	84	17:1～15
	24	土	6:16～29	獅子の洞窟とダニエル	85	17:16～34
(聖霊降臨節)第10主日	25	日	㉑ 562 ① 419	〈憐れみの福音〉 ホセア 6:1～6 マタイ 9:9～13		2コリント 5:14～6:2 詩編 107:1～9
	26	月	ダニエル8:1～14	雄羊と雄山羊の幻	86	使徒 18:1～23
	27	火	8:15～27	幻の説明	87	18:24～19:10
	28	水	9:1～19	ダニエルの嘆きと嘆願	88	19:11～20
	29	木	9:20～27	定められた七十週	89:1～36	19:21～40
	30	金	10:1～14	ダニエルの見た幻	89:37～53	20:1～16
	31	土	12:1～13	終わりの時についての幻	90	20:17～38

③ =『ともにうたおう』　　ⓒ =『こどもさんびか　改訂版』

August

	日	曜日	週日聖書日課	内　容	詩編	週日副日課
（聖霊降臨節 第11主日） 平和聖日	1	日	㉑ 401 ① 225	〈宣教への派遣〉 ヨナ 3:1 ～ 5 マタイ 9:35 ～ 10:16		**使徒 9:26 ～ 31** 詩編 71:14 ～ 19
	2	月	エズラ 1:1 ～ 11	キュロス王の布告	91	使徒　21:1 ～ 16
	3	火	3:1 ～ 13	神殿の再建の始まり	92	21:17 ～ 26
	4	水	7:11 ～ 28	エズラへの王の親書	93	21:27 ～ 36
	5	木	8:15 ～ 23	エズラたちの帰還	94	21:37 ～ 22:21
	6	金	ネヘミヤ 1:1 ～ 11	ネヘミヤの嘆きと祈り	95	22:22 ～ 23:11
	7	土	2:1 ～ 20	エルサレムへの旅	96	23:12 ～ 35
（聖霊降臨節 第12主日）	8	日	㉑ 455 ① 399	〈苦難の共同体〉 エレミヤ 20:7 ～ 13 マタイ 10:16 ～ 25		**使徒 20:17 ～ 35** 詩編 57:2 ～ 12
	9	月	ネヘミヤ3:33 ～ 4:8	城壁の再建と敵の妨害	97	使徒　24:1 ～ 23
	10	火	4:9 ～ 17	城壁の防衛と建築工事	98	24:24 ～ 25:12
	11	水	6:1 ～ 15	敵の脅迫と城壁の完成	99	25:13 ～ 27
	12	木	7:72b ～ 8:12	モーセの律法の朗読	100	26:1 ～ 23
	13	金	8:13 ～ 18	仮庵祭	101	26:24 ～ 32
	14	土	13:15 ～ 22	安息日の遵守	102	27:1 ～ 8

㉑ ＝『讃美歌 21』　　　① ＝『讃美歌』　　　② ＝『讃美歌第二編』

				〈家　族〉		
(聖霊降臨節 第13主日)	15	日	21 543 c 118	創世記 24:62 ～ 67 マタイ 12:43 ～ 50		**コロサイ 3:18 ～ 4:1** **詩編 128:1 ～ 6**
	16	月	ヨナ　　1:1 ～ 16	神の命令とヨナの逃亡	103	使徒　27:9 ～ 26
	17	火	2:1 ～ 11	魚の腹の中のヨナ	104	27:27 ～ 44
	18	水	3:1 ～ 10	ニネベで預言するヨナ	105:1 ～ 24	28:1 ～ 16
	19	木	4:1 ～ 11	ヨナの怒りと神の言葉	105:25~45	28:17 ～ 31
	20	金	ハガイ 1:1 ～ 11	ハガイの預言	106:1 ～ 23	1 コリント 1:1 ～ 9
	21	土	1:12 ～ 2:9	新しい神殿の栄光と祝福	106:24~48	1:10 ～ 25
				〈忍　耐〉		
(聖霊降臨節 第14主日)	22	日	21 454 c 129	ハバクク 3:17 ～ 19 マタイ 13:24 ～ 43		**ローマ 8:18 ～ 25** **詩編 90:1 ～ 12**
	23	月	ゼカリヤ1:7 ～ 17	ゼカリヤの第一の幻	107:1 ～ 22	1 コリント 1:26 ～ 2:5
	24	火	2:1 ～ 17	第二の幻と第三の幻	107:23 ～ 43	2:6 ～ 16
	25	水	3:1 ～ 10	第四の幻	108	3:1 ～ 9
	26	木	4:1 ～ 14	第五の幻	109	3:10 ～ 23
	27	金	5:1 ～ 11	第六の幻と第七の幻	110	4:1 ～ 13
	28	土	6:1 ～ 8	第八の幻	111	4:14 ～ 21
				〈究極の希望〉		
(聖霊降臨節 第15主日)	29	日	21 575 1 171	列王上 3:4 ～ 15 マタイ 13:44 ～ 52		**1 コリント 15:35 ～ 52** **詩編 104:24 ～ 35**
	30	月	ゼカリヤ 6:9 ～ 15	戴冠の宣言	112	1 コリント 5:1 ～ 13
	31	火	7:1 ～ 7	真の断食	113	6:1 ～ 11

3 ＝『ともにうたおう』　　c ＝『こどもさんびか　改訂版』

September

	日	曜日	週日聖書日課	内　容	詩編	週日副日課
	1	水	ゼカリヤ7:8〜14	主の言葉と主の怒り	114	1コリント 6:12〜20
	2	木	8:1〜8	エルサレムの回復の約束	115	7:1〜24
	3	金	8:9〜17	人々のなすべきこと	116	7:25〜40
	4	土	8:18〜23	真実と平和を愛すること	117	8:1〜13
(聖霊降臨節 第16主日)	5	日	㉑ 409 ㋒ 55	〈教会の一致と交わり〉 エゼキエル37:15〜28 マタイ 18:10〜20		1コリント 1:10〜17 詩編 147:1〜7
	6	月	箴言　1:20〜33	呼びかけ語りかける知恵	118	1コリント 9:1〜14
	7	火	3:11〜20	主の諭しを拒むな	119:1〜24	9:15〜27
	8	水	4:1〜27	子らよ、父の諭しを聞け	119:25〜40	10:1〜13
	9	木	6:6〜19	怠け者よ、知恵を得よ	119:41〜56	10:14〜11:1
	10	金	7:6〜23	意志の弱そうな若者	119:57〜72	11:2〜22
	11	土	8:1〜21	わたしは知恵	119:73〜88	11:23〜34
(聖霊降臨節 第17主日)	12	日	㉑ 487 ① 393	〈隣　人〉 創世記45:1〜15 マタイ 18:21〜35		ヤコブ 2:8〜13 詩編 15:1〜5
	13	月	箴言　8:22〜36	天地創造に先立つ知恵	119:89〜104	1コリント 12:1〜11
	14	火	9:1〜10	知恵ある人を叱れ	119:105〜128	12:12〜31

㉑ ＝『讃美歌21』　　① ＝『讃美歌』　　㋒ ＝『讃美歌第二編』

	15	水	箴言	10:1 ～ 13	ソロモンの格言集	119:129～152	1 コリント 13:1 ～ 13
	16	木		11:1 ～ 12	正しい人、神に従う人	119:153～176	14:1 ～ 12
	17	金		12:9 ～ 22	無知な者、神に逆らう者	120	14:13 ～ 25
	18	土		13:7 ～ 25	富と貧しさ、思慮と愚かさ	121	14:26 ～ 40
(聖霊降臨節)(第 18 主 日)	19	日	㉑ 509㊀ 339	〈新しい戒め〉出エジプト 20:1 ～ 17マタイ 19:13 ～ 30			**エフェソ 5:1 ～ 5****詩編 119:33 ～ 40**
	20	月	箴言	14:1 ～ 12	知恵ある人と愚か者	122	1 コリント 15:1 ～ 11
	21	火		14:27 ～ 35	主を畏れることは命の源	123	15:12 ～ 19
	22	水		15:1 ～ 15	知恵ある人の舌	124	15:20 ～ 34
	23	木		15:16 ～ 33	懲らしめに聞き従う耳	125	15:35 ～ 49
	24	金		16:16 ～ 32	貧しい人と共に心を低く	126	15:50 ～ 58
	25	土		18:9 ～ 24	主の御名は力の塔	127	2 コリント 1:1 ～ 14
(聖霊降臨節)(第 19 主 日)	26	日	㉑ 565㊀ 367	〈労働の意味〉コヘレト 3:1 ～ 13マタイ 20:1 ～ 16			**2 テサロニケ 3:6 ～ 13****詩編 90:13 ～ 17**
	27	月	箴言	22:1 ～ 12	名誉と品位	128	2 コリント 1:15 ～ 2:4
	28	火		23:15 ～ 25	聞き従って知恵を得よ	129	2:5 ～ 17
	29	水		24:19 ～ 34	悪者には未来はない	130	3:1 ～ 18
	30	木		25:11 ～ 28	主があなたに報いられる	131	4:1 ～ 18

㊂ =『ともにうたおう』　　㊂ =『こどもさんびか　改訂版』

October

	日	曜日	週日聖書日課	内　　容	詩編	週日副日課
	1	金	箴言　26:1～12	愚か者には	132	2コリント 5:1～21
	2	土	27:6～22	友人を捨てるな	133	6:1～13
(聖霊降臨節) (第20主日) 世界聖餐日 世界宣教の日	3	日	21 467 1 267	〈信仰による生涯〉 ヨシュア 6:1～20 マタイ 21:18～32		**ヘブライ 11:17～22,29～31** **詩編 31:22～25**
	4	月	箴言 28:12～28	神に従う人、神に逆らう者	134	2コリント 6:14～7:1
	5	火	29:11～27	教えを守る者は幸い	135	7:2～16
	6	水	30:1～9	神への二つの願い	136	8:1～15
	7	木	30:15～31	三つのこと、四つのこと	137	8:16～9:5
	8	金	31:10～31	有能な妻	138	9:6～15
	9	土	オバデヤ 1～21	エドムの傲慢と滅亡	139	10:1～18
(聖霊降臨節) (第21主日) 神 学 校 日 伝道献身者奨励日	10	日	21 356 1 77	〈上に立つ人々〉 申命記 4:1～8 マタイ 22:15～22		**ローマ 13:1～10** **詩編 52:3～11**
	11	月	エステル 2:5～10	モルデカイとエステル	140	2コリント 11:1～15
	12	火	2:19～3:6	ハマンの策略	141	11:16～33
	13	水	3:7～4:3	ユダヤ人絶滅の勅書	142	12:1～21
	14	木	4:4～5:14	エステルの策略	143	13:1～13

21 ＝『讃美歌21』　　　1 ＝『讃美歌』　　　2 ＝『讃美歌第二編』

	15	金	エステル 6:1 〜 7:10	ハマンの処刑	144	ユダ	1 〜 16
	16	土	8:1 〜 17	ユダヤ人の復讐	145		17 〜 25
(聖霊降臨節) 第22主日 信徒伝道週間 (23日まで) 教育週間 (24日まで)	17	日	㉑ 580 ① 355	〈天国に市民権をもつ者〉 イザヤ 33:17 〜 22 マタイ 25:1 〜 13		黙示録 7:9 〜 17 詩編 36:2 〜 10	
	18	月	雅歌 1:9 〜 2:7	若者の歌、おとめの歌	146	マタイ 5:1 〜 16	
	19	火	2:8 〜 17	恋しい人の声	147	5:17 〜 30	
	20	水	3:1 〜 11	恋い慕う人を求めて	148	5:33 〜 48	
	21	木	5:2 〜 6:3	あなたの恋人はどこに	149	7:1 〜 12	
	22	金	7:10b 〜 8:4	わたしの愛をささげます	150	7:13 〜 20	
	23	土	8:5 〜 7	愛は死のように強く	1	7:21 〜 29	
(降誕前第9主日)	24	日	㉑ 223 ① 444	〈創　　造〉 創世記 2:4b 〜 9, 15 〜 25 マルコ 10:2 〜 12		黙示録 4:1 〜 11 詩編 19:1 〜 7	
	25	月	ローマ 1:1 〜 17	ローマの信徒への挨拶	2	創世記 1:1 〜 19	
	26	火	1:18 〜 32	神の怒りと人類の罪	3	1:20 〜 2:4a	
	27	水	2:1 〜 16	神の正しい裁き	4	2:4b 〜 25	
	28	木	2:17 〜 29	ユダヤ人と律法	5	3:1 〜 15	
	29	金	3:1 〜 20	正しい者は一人もいない	6	3:16 〜 24	
	30	土	3:21 〜 31	神の恵み、神の義	7	4:1 〜 16	
(降誕前第8主日) 宗教改革記念日	31	日	㉑ 424 ① 256	〈堕　　落〉 創世記 4:1 〜 10 マルコ 7:14 〜 23		1 ヨハネ 3:9 〜 18 詩編 51:3 〜 11	

③ ＝『ともにうたおう』　　Ⓒ ＝『こどもさんびか　改訂版』

November

	日	曜日	週日聖書日課	内　　容	詩　編	週日副日課
	1	月	ローマ 4:1 〜 12	アブラハムの模範	8	創世記 6:5 〜 22
	2	火	4:13 〜 25	信仰による義と神の約束	9	7:6 〜 24
	3	水	5:1 〜 11	御子による神との和解	10	8:1 〜 12
	4	木	5:12 〜 21	アダムとキリスト	11	8:13 〜 22
	5	金	6:1 〜 14	キリストと共に生きる	12	9:1 〜 17
	6	土	6:15 〜 23	罪の奴隷、義の奴隷	13	11:1 〜 9
（降誕前第7主日） 聖 徒 の 日 （永眠者記念日）	7	日	㉑ 184 ① 388	〈神の民の選び（アブラハム）〉 **創世記 15:1 〜 18a** マルコ 12:18 〜 27		ヤコブ 2:14 〜 26 詩編 105:1 〜 15
	8	月	ローマ 7:1 〜 12	律法からの解放	14	創世記 12:1 〜 20
	9	火	7:13 〜 25	内在する罪の問題	15	13:1 〜 18
	10	水	8:1 〜 11	肉に従う者、霊に従う者	16	15:1 〜 6
	11	木	8:12 〜 17	神の子とする霊	17	17:1 〜 14
	12	金	8:18 〜 30	現在の苦しみ、将来の栄光	18:1 〜 31	18:1 〜 15
	13	土	8:31 〜 39	キリストの愛、神の愛	18:32 〜 51	18:16 〜 33
（降誕前第6主日） 障害者週間 （20日まで）	14	日	㉑ 186 ① 445	〈救いの約束（モーセ）〉 **出エジプト 6:2 〜 13** マルコ 13:5 〜 13		ヘブライ 11:17 〜 29 詩編 77:5 〜 16

㉑ ＝『讃美歌 21』　　　① ＝『讃美歌』　　　② ＝『讃美歌第二編』

	日	曜		テーマ		
	15	月	ローマ 9:1～13	イスラエルの選び	19	創世記21:1～21
	16	火	9:14～29	神の怒りと憐れみ	20	22:1～19
	17	水	9:30～10:4	イスラエルの救いを祈る	21	24:1～27
	18	木	10:5～13	万人の主、万人の救い	22	24:28～51
	19	金	10:14～21	イスラエルへの宣教	23	24:52～67
	20	土	11:1～12	イスラエルの残りの者	24	25:19～34
(降誕前第5主日) 収穫感謝日 謝　恩　日	21	日	㉑ 96 ① 211	〈王の職務〉 **サムエル上 16:1～13** マルコ 10:17～31		1 テモテ 1:12～17 詩編 89:20～30
	22	月	ローマ 11:13～24	異邦人の救い	25	創世記27:1～29
	23	火	11:25～36	すべての人を憐れむ神	26	27:30～45
	24	水	12:1～8	新しい生き方に向かって	27	28:10～22
	25	木	12:9～21	キリスト教的生活の規範	28	29:1～30
	26	金	13:1～7	自分の義務を果たすこと	29	32:1～22
	27	土	13:8～14	隣人を愛しなさい	30	32:23～33:11
(降誕前第4主日) (待降節第1主日) 待降節・降臨節 ・アドベント	28	日	㉑ 230 ① 172	〈主の来臨の希望〉 **イザヤ 51:4～11** マルコ 13:21～37		1 テサロニケ 5:1～11 詩編 82:1～8
	29	月	ルカ 17:20～37	神の国が来る	31	イザヤ 1:1～9
	30	火	19:11～27	「ムナ」のたとえ	32	1:10～20

③ ＝『ともにうたおう』　　ⓒ ＝『こどもさんびか　改訂版』

December

	日	曜日	週日聖書日課	内　　容	詩編	週日副日課
	1	水	ルカ 19:28 ～ 40	エルサレム入城	33	イザヤ 1:21 ～ 31
	2	木	19:41 ～ 48	神殿から商人を追い出す	34	2:1 ～ 11
	3	金	20:9 ～ 18	「ぶどう園と農夫」のたとえ	35	2:12 ～ 22
	4	土	20:19 ～ 26	皇帝への税金	36	3:1 ～ 8
(降誕前第3主日) (待降節第2主日) 社会事業奨励日	5	日	㉑ 519 ① 96	〈旧約における神の言〉 **エレミヤ 36:1 ～ 10** マルコ 7:1 ～ 13		2 テモテ 3:14 ～ 4:8 詩編 19:8 ～ 11
	6	月	ルカ 20:27 ～ 40	復活についての問答	37:1 ～ 22	イザヤ 3:13 ～ 4:1
	7	火	20:41 ～ 21:4	やもめの献金	37:23～40	4:2 ～ 6
	8	水	21:5 ～ 9	神殿の崩壊を予告する	38	5:1 ～ 7
	9	木	21:10 ～ 19	終末の徴	39	5:8 ～ 24
	10	金	21:20 ～ 28	エルサレム滅亡と人の子	40	5:25 ～ 30
	11	土	21:29 ～ 36	目を覚ましていなさい	41	6:1 ～ 13
(降誕前第2主日) (待降節第3主日)	12	日	㉑ 178 ① 95	〈先駆者〉 **イザヤ 40:1 ～ 11** マルコ 1:1 ～ 8		2 ペトロ 3:8 ～ 14 詩編 85:2 ～ 14
	13	月	ルカ 1:5 ～ 25	洗礼者ヨハネの受胎	42	列王上 17:1 ～ 16
	14	火	3:1 ～ 14	洗礼者ヨハネの宣教	43	18:1 ～ 15

㉑ ＝『讃美歌 21』　　　① ＝『讃美歌』　　　② ＝『讃美歌第二編』

	15	水	ルカ 3:15〜22	イエス、洗礼を受ける	44	列王上 18:16〜29
	16	木	マタイ 11:2〜6	洗礼者ヨハネの問い	45	18:30〜46
	17	金	11:7〜19	洗礼者ヨハネとイエス	46	19:1〜8
	18	土	ルカ 1:26〜38	マリアへの受胎告知	47	イザヤ 7:10〜17

(降誕前第1主日) (待降節第4主日)	19	日	21 256 1 111	〈告　知〉 **サムエル上 2:1〜10** ルカ 1:39〜56		ローマ 1:1〜7 詩編 113:1〜9

	20	月	ルカ 1:46〜56	マリアの賛歌	48	イザヤ 29:13〜24
	21	火	1:57〜66	洗礼者ヨハネの誕生	49	30:15〜21
	22	水	1:67〜80	ザカリアの預言	50	32:1〜8
	23	木	マタイ 3:1〜12	荒れ野の洗礼者ヨハネ	51	35:1〜10
	24	金	1:18〜25	ヨセフへの受胎告知	52	52:1〜10

降　誕　日 (クリスマス)	25	土	21 245 1 102	〈キリストの降誕〉（前夜） イザヤ 9:1, 5〜6 **ルカ 2:1〜20**		テトス 3:4〜7 詩編 98:1〜9
			21 259 1 112	〈キリストの降誕〉（日中） イザヤ 52:7〜14 **ヨハネ 1:1〜14**		ヘブライ 1:1〜6 詩編 2:1〜12

(降誕節第1主日)	26	日	21 271 1 118	〈東方の学者たち〉 イザヤ 49:7〜13 **マタイ 2:1〜12**		黙示録 21:22〜22:5 詩編 72:1〜7

	27	月	ルカ 2:25〜35	シメオンの賛歌	21	イザヤ 40:12〜24
	28	火	2:36〜40	アンナの賛美	124	40:25〜31
	29	水	マタイ 2:1〜12	占星術の学者たち	141	41:1〜13
	30	木	2:13〜23	エジプトへの避難	143	41:14〜20
	31	金	ルカ 2:41〜52	神殿での少年イエス	145	申命記 11:18〜21

3 ＝『ともにうたおう』　　Ⓒ ＝『こどもさんびか　改訂版』

〈日毎の糧〉聖書日課の用い方

　「教会暦」と「聖書日課」は、教会の長い歴史の中で形作られてきた貴重な遺産です。これによって、聖書の重要な出来事が周期的に記念され、時間的、地域的、教派的に隔たっている教会が、信仰においてひとつに結ばれます。

教会暦について

　キリスト教の信仰は歴史の中で働く神の御業に基づくものであり、その中心にキリストの救いの出来事があります。しかし、それらは創造から終末に向かう直線的な時の流れの中にあり、放っておけば帰らぬ過去に押しやられ、忘却されてしまいます。そこで、神の御業が我々の信仰にとって有意義なものとなるためには、周期的に記念される必要があります。このことを暦の文化を用いて行っているのが、教会暦なのです。

　私たちの教会暦は、3つの大きな救済の出来事を中心として構成されています。すなわち、降誕日（クリスマス）、復活日（イースター）、聖霊降臨日（ペンテコステ）です。

　まず、降誕日を中心にして、その準備期間としての降誕前節（9主日／待降節を含む）と、降誕日から始まる降誕節があります＊。次に、復活日を中心にして、その準備期間としての復活前節（6主日／四旬節、受難節）と、復活日から始まる復活節（7主日）があります。そして、さらに聖霊降臨日から次の降誕前節に至る20数主日を含む聖霊降臨節へと続きます。

　降誕前節から復活節までは「主の半年」として、イエス・キリストの生涯とその働きを想起することが中心的なテーマとなる期間です。

　聖霊降臨節は「教会の半年」と言われ、教会が聖霊の導きのもとに宣教に励むことを覚える期間となります。日本基督教団ではここに多くの行事が位置づけられています。

＊一般的な狭義のクリスマス・シーズンは降誕日（12月25日）から公現日（1月6日）にいたる期間です。2019年から、公現日後の主日の呼称として「公現後」を並記しました。

聖書日課について

　教会暦は自然や季節に根ざす暦ではなく、教会で行われる礼拝と密接に結びついています。教会暦はそれぞれの主日の礼拝にふさわしい聖書箇所を選択し、それらを「聖書日課」として適切に配分することによって具体化されていきます。

（1）主日聖書日課について

　聖書箇所は、教会暦に従って旧約、使徒書、福音書から選択されています。これら3つの聖書箇所が、いわば立体的にその日のメッセージを指し示しています。降誕前節では旧約が、降誕節から復活節までは福音書が、聖霊降臨節では使徒書が選択の軸となっています（本書ではゴシック体で表記）。説教テキストの選定に際しては、これを目安にするとよいでしょう。他の2つの箇所は説教で詳しく言及しなくても自ずと響き合うことが期待されます。また、各主日に相応しい詩編の箇所も選択されています。それは礼拝における「交読詩編」などの参考になると思います。

　各年の主日日課表は年によって変動する部分があります。降誕前節、復活前節、復活節は毎年主日の数が定まっていますが、イースターが移動するため、降誕節と聖霊降臨節はその年によって主日の数が変わり、聖書日課配分にも若干の影響が生じます。ただし降誕節の最後の3主日は必ず降誕節第9、10、11主日の日課を用い、聖霊降臨節の最終主日は必ず第24主日のものを用いることになっております。4年サイクル主日聖書日課の全体については日本キリスト教団出版局聖書日課編集委員会編『日毎の糧ガイド』巻末の聖書日課資料をご覧ください。

　季刊『礼拝と音楽』には、この主日日課による「主日礼拝に備えて ── 説教者・奏楽者とともに」が掲載されていますので、主日の説教準備や賛美歌選びや奏楽曲の参考として活用していただけると思います。また当出版局から、聖書日課編集委員会編『「新しい教会暦」による説教への手引き』（2008年）が出版されております。4年サイクルの全主日の黙想が出ておりますので参考にしてください。

（2）週日聖書日課について

　週日聖書日課は主日聖書日課とは別系統のものです。よりいっそう継続朗読の性格が強くなります。2004年秋から本書が採用した6年サイクルの週日聖書日課は、完全な継続朗読は脱したとはいえ、聖書の重要な物語や出来事は網羅されています。また、日々の詩編が配されることで、ただ聖書を読むための手引きに止まらず、礼拝的用途としても活用できるものになりました。そして週日副日課も掲載されておりますので、あわせて用いれば、よりいっそう聖書の世界全体に親しむことができると思います。

　月刊『信徒の友』では、毎月異なる執筆者による主日及び週日聖書日課の解説が掲載されておりますので、ご購読をお勧めいたします。

典礼色について

　教会暦との関連で典礼色を用いる教会も少なくありません。参考のため、以下のような用例を提案いたします。

降誕前節　　第9〜5主日		緑
降誕前節　　第4〜1主日（待降節）		紫
降誕日（前夜・日中）		白
降誕節		白
公現日		白
復活前節（四旬節・受難節）		紫
棕梠の主日		紫または赤
洗足木曜日		白
受難日		赤
復活節		白
復活日（前夜または早朝・日中）		白
聖霊降臨節		緑
聖霊降臨日		赤
三位一体主日		白

※『日毎の糧——主日聖書日課・家庭礼拝暦』電子書籍版も刊行されております。詳しくは出版局のホームページをご覧ください。

日毎の糧 2021 —— 主日聖書日課・家庭礼拝暦

2020 年 10 月 14 日　発行　　　　Ⓒ日本キリスト教団出版局

編集者　　聖書日課編集委員会
発行者　　日本キリスト教団出版局
169-0051　東京都新宿区西早稲田 2 丁目 3 の 18
電話　03（3204）0421
http://bp-uccj.jp
印刷製本　文唱堂印刷

表紙デザイン—— 小林　秀二

ISBN978-4-8184-1072-5 C0016　日キ版